雪女の家
おけら山
おおかみ男の家
ひりひり滝
ぬるぬる池
かたかた橋
にこにこ
ぷんぷん
めそめそ
の花畑
ぞくぞく劇場
美術館
ぞくぞく小学校

ぞくぞく村の

おおかみ男

末吉暁子・作　垂石眞子・絵

ぞくぞく村のおばけシリーズ・5

ぞくぞく村の歯医者さんは、その名も、「ちくちく歯科医院」。
いかにもいたそうな名前ですが、どうしてどうして、
「早い！　安い！　いたくない！」
って、かんばんにも書いてあるでしょ。
なかなか、うでのいい歯医者さんなんですよ。
だから、いつも大いそがし。

ちくちく歯科医院

「ちくちく先生。入れ歯がこわれてしまったのでね。なおしてほしいんだが……。」

総入れ歯の吸血鬼ドラキュラがやってきました。

カパッと入れ歯をはずすと、なるほど、二本のきばが、とちゅうから、ポキンとおれています。

「ふおの、ふあをね、ふああく、ふるふおいのに、ふへはへへおくれ。」

ドラキュラは、口をふがふがさせて言いました。

どうやら、

「このきばをね、ながあくするどいのに、つけかえておくれ。」

と言っているようです。

はを大切に
ちくちく歯科

「よしよし、ちょっと待ってなさい。すぐ、つけかえてあげるから。」

ちくちく先生は、さっそく、チョコチョコチョコチョコと、なおしてあげました。

「ほうら、できたぞ。」

みちがえるようにりっぱな、ながあいきばのある入れ歯です。

「ふぁ、うれひぃ！」

ドラキュラは、目をかがやかせ、カパッとはめました。

「では、さっそくためしてみるか。」

クアッ！

ドラキュラは、いきなり、ちくちく先生の首すじに、きばをつきたてました。

ポコリ

ドラキュラのきばは、まのぬけた音をたてて、根もとからくにゃりとおれまがりました。

「あれえ？」

首をかしげているドラキュラを見て、ちくちく先生は、大わらい。

「わっはっは。こんなこともあろうかと、きばはゴム製にしといたのだ。」

ドラキュラは、すごすごと帰っていきました。

え？　これでは、ドラキュラは、血をすえなくなって、うえじにするんじゃないかって？

ご心配なく。

ドラキュラの家の冷凍庫には、一生かかっても飲みきれないほどの血液が、保存されているのですから。

入れかわりにやってきたのは、ちびっこおばけのグーちゃん、スーちゃん、ピーちゃんです。

それぞれ、おばけかぼちゃを一こずつかかえています。

「こんばんは、ちくちく先生。」

「この子たち、虫歯みたいなの。ほら。」

「なおるかしら。」

なるほど、ちびっこおばけたちの持ってきたおばけかぼちゃの歯は、ぼろぼろです。

「なおしてあげるとも。
ちょっと待ってなさい。」
ちくちく先生は、ナイフを
持ってくると、シャキシャキ、
シャキと、シャープな
歯の形に切りとりました。
「ほうら、なおったろ。
ちょっと口が大きく
なったけど。」

「わあい！　虫歯がなおった。」

「とってもハンサムなおばけかぼちゃになったね。」

「ありがとう、ちくちく先生。」

ちびっこおばけたちが帰っていくと、いつのまにかお月さまは、ぱかぱか森のむこうにかたむいていました。

「ふう。もうすぐ夜があける。あしたは満月か。はたして、今度はおおかみ男になるものやら、ぶた男になるものやら……。」

ちくちく先生は、ため息をつきながら、かたづけをはじめました。

そうなんです。

この歯医者さん、満月の夜になると、おおかみに変身しちゃうんですねえ。

それもですよ。近(ちか)ごろは、なぜかときどき、ぶた男(おとこ)になることもあるのです。

それで、満月(まんげつ)の夜(よる)は歯医者(はいしゃ)さんもお休(やす)み。

『今夜(こんや)は満月(まんげつ)だからお休(やす)み』のかんばんを出(だ)して、そろそろねようと思(おも)ったときでした。

「ちょっと、待(ま)ってください、ちくちく先生(せんせい)!」

と、飛(と)びこんできた人(ひと)がありました。

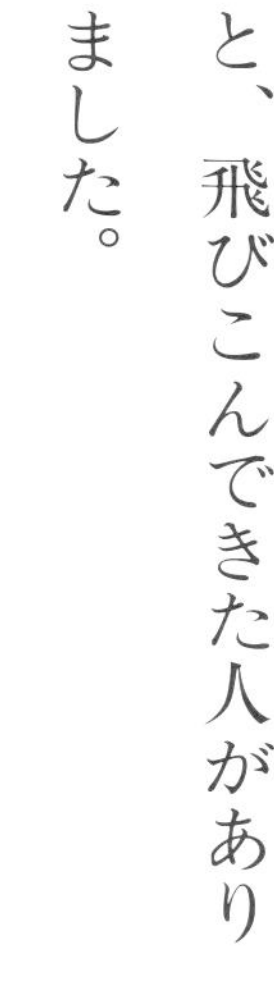

とうめい人間のサムガリーさんです。

「満月になる前になんとかしてチョ！　虫歯がいたくて、いたくて、こおんなにほっぺたがはれちゃったんですよ。」

サムガリーさんは、そのとき、かぜをひいて、マスクをしていました。

ええ、かぜをひいていたって、とうめい人間だって、虫歯になるときゃなるんです。

ちくちく先生は、とりあえずサムガリーさんを、しんさつ台にすわらせました。

「どれ、マスクをとって、口をアーンと開けてごらん。」

とうめい人間がマスクをとると、なんにも見えなくなりました。

「アーン。」

と声だけはしましたが、やっぱりなんにも見えません。

「いたい歯は、どれ？」

「ここです、ここ、ここ。」

サムガリーさんは、いっしょうけんめい、いたいところを指さしているようすなのですが、あいにくその指も見えません。

「しかたがない。手さぐりでいたいところをさがすとしよう。」

ちくちく先生は、サムガリーさんの口に、手を入れようとしましたが、指一本しか入りません。

「ずいぶん小さな口だね。」

「それは、鼻のあなですよう。」

「こりゃ、すまん。おお、あった、あった。でっかい口が……。」

「ファッ、ファッ……。」

サムガリーさんのようすが、へんです。

「どうしたの？」

「ファーック。」

どうやら、くしゃみが出そうなようす。

ちくちく先生があわててとびはなれたとたん、

「ショーイ！」

まどガラスが、ビリビリふるえるほどの特大のくしゃみが飛びだしました。

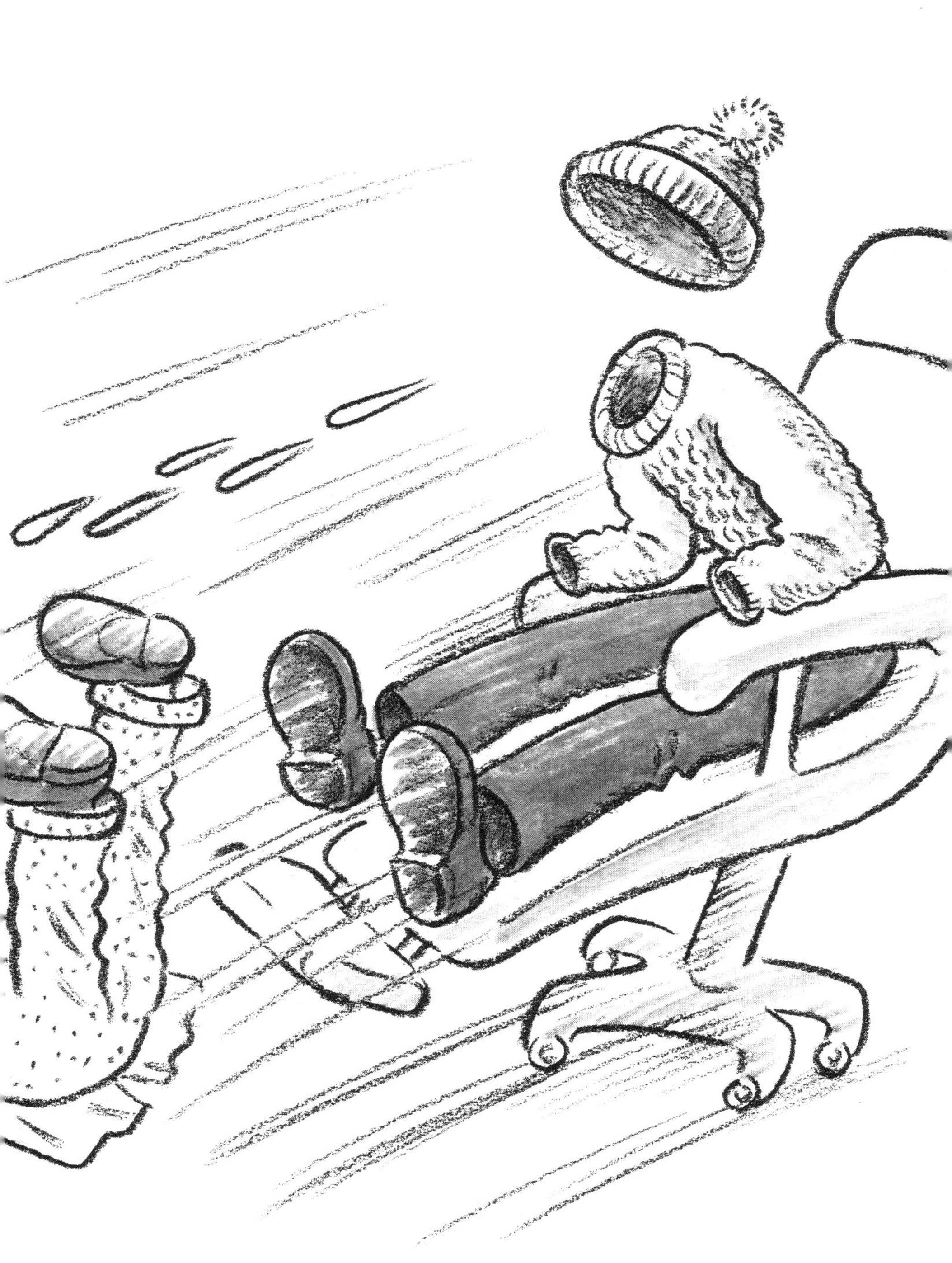

「ふうっ、あぶないところで、もろ、ひっかぶるところだった。どれ、アーンしてごらん。」

ちくちく先生は、また手さぐりで、虫歯さがしです。

「これかな？　これかな？　これかな？」

とつぜん、

「ひゃあっ、いたたた！」

いきなりサムガリーさんが、とびあがったので、ちくちく先生は思いっきり、頭つきをくらってしまいました。

「す、すみません。ちょうどいたいところだったので……」。

「しかし、こまったな。いたい歯はわかったけど、見えないんじゃ、なおせないな。いっそのこと、ぬいてしまうか」。

「いたくしないでね。いたくしないでね。」

サムガリーさんは、まっさおになって言ったのですが、あいにく見えないものですから、ちくちく先生は気がつきません。

「だいじょぶ。ちゃんとますいをしてから、やるから。」

ちくちく先生は、ますい薬を入れたちゅうしゃ器で、サムガリーさんの口の中に、チク、チク、チク。

最初のチクのときだけ、サムガリーさんは
「ぎゃっ。」

とひめいをあげましたが、あとは静かになりました。

ますいがきいてきたのでしょう。

「さあ、これでもう、いたくないからね。」

ちくちく先生は、大きなペンチで虫歯をがっちりはさみました。

「せえの！」

思いっきりひっぱりましたが、虫歯はぬけません。

「えんやこら、うーん！　えーんやこら、うーん！」

まだ、ぬけません。

「ずいぶん、根っこが大きい歯らしいぞ。ようし、今度こそ。」

ちくちく先生は、
サムガリーさんの
からだに足をかけ、
「えーい、えーい！」
とひっぱりました。
それでも、まだ
まだぬけません。

「ふう、くたびれた。ちょっと休もう。」

ちくちく先生は、ひと休み。お茶を飲んだり、おやつを食べたりしてから、また挑戦です。

「さあ、今度こそ。」

ちくちく先生は、かた手でしっかりとサムガリーさんの頭をかかえこみ、もうかた方の手にペンチをにぎり、ぐいぐい虫歯をひっぱりました。

「うーん、うーん。これでもか、これでもか。」

そのあいだにも、時計の針はカチカチすすみ、いったん、ぱかぱか森のむこうにひっこんだお月さまは、ぐるりとまわって、そろりそろりとぐずぐず谷のむこうから、のぼってきそうです。

CHICK
CHICK
CHICK
CHICK
CHICK
CHICK

とっくにますいは切れて、サムガリーさんは、虫歯がじわじわいたみだし、

「いたいよ、いたいよ。」

となきだしました。

「もうすこし、もうすこし。」

ちくちく先生も、なんとか満月がのぼってくる前に、ぬいてあげようとひっしです。

けれども、こんなときにかぎって、お月さまはまるでゴムまりがはずむように、ピョーンとのぼってきちゃうものなんですねえ。

ぐずぐず谷をのぼってきたまんまるお月さまは、おけら山をまわりこみ、ちくちく森の木のてっぺんをぎざぎざにてらしだしました。

そして、ついに、ちくちく歯科医院のまどから
「こんばんは。」
とのぞきこんだとたん……。
サムガリーさんにとって、虫歯のいたみもぶっとんでしまうほどの、おそろしいできごとがおきたのです。

ちくちく先生の動きが、一しゅんこおりつき、

「く、く、くくくっ。」

とくるしそうなうめき声が、のどからもれました。

(わあっ、いつのまにか満月の夜になったんだ!)

もちろん、サムガリーさんはにげだそうとしましたが、頭はガッチリおさえられ、虫歯はペンチで、ギッチリにぎられたままです。

(おねがいだ。おおかみ男じゃなくて、ぶた男になってくれ……。)

ひっしでいのっているサムガリーさんの目の前で、ちくちく先生はしだいに変身していきました。

口もとが、ムリムリムリムリと前に飛びだし、のどまでカッとさけました。

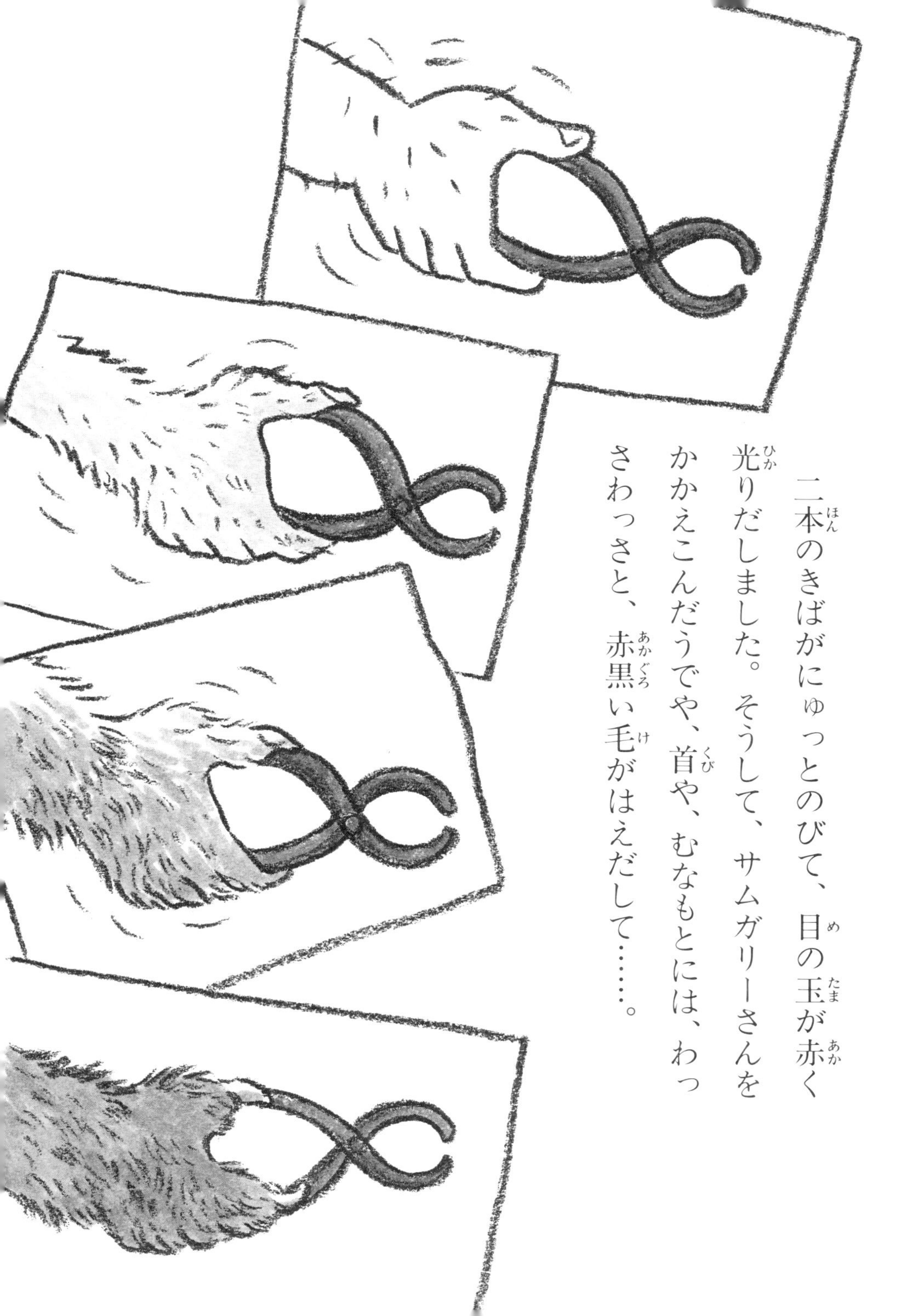

二本のきばがにゅっとのびて、目の玉が赤く光りだしました。そうして、サムガリーさんをかかえこんだうでや、首や、むなもとには、わっさわっさと、赤黒い毛がはえだして……。

「たすけてくれえ！」

サムガリーさんは、力のかぎりさけんだのですが、なにしろ口の中にペンチをつっこまれたままです。

「あわわわ、わわーっ。」

という、むなしいさけび声がもれただけでした。

おおかみ男は、月にむかって、ひと声、

「ウオオ、オーン！」

とほえ、ペンチを持った手に、ひときわ力をこめました。

すると虫歯は、あっけなくカポン！　とぬけて、はずみで、おおかみ男は、しりもちをつきました。

「今だ！」

　サムガリーさんは、そのすきにしんさつ台からころげおちると、ドアをめざしていちもくさん。

「おーい。おーい！」

　おおかみ男は、ペンチを持ったままおいかけました。

　ところがドアの外に出てみると、もう、とうめい人間のかげも形もありません。

満月の光で、どこもかしこも銀色のこなをふりかけたようにかがやいているというのに、どこへ消えてしまったのでしょう。

ただ、

「ファックショイ！」

「ファックショイ！」

というくしゃみの声だけが遠ざかっていくのでした。

そして、いつものことですが、おおかみ男はやたら、血がさわぎ、じっとしていられなくなりました。

ぬるぬる池に飛びこんで、ジャボジャボンとおよいだあと、池のほとりを一周し、どっきり広場にやってきました。

だれかれかまわず、だきついたり、キスしたり、ひっぱたいたり、けんかをふっかけたり、大あばれ。それから、いきなり、ブティック「びっくり箱」のかんばんのてっぺんによじのぼると、月にむかってひと晩じゅう、

「ウオオ、オーン！」

と、ほえまくったのでした。

びっくり箱

そしてまた、お月さまが、ぱかぱか森のむこうにかくれ、かわりにおけら山のむこうの空が、しらじら明るくなってくると……。

「びっくり箱」のかんばんの上では、もとにもどったちくちく先生が、ふるえながら、

「たすけてくれえ！」

お店のおくのベッドの中では、はだかんぼになってにげかえったサムガリーさんが、熱を出してねこんでいました。

ええ、虫歯のいたいのはとれたんですけどね、どっちがよかったことやら。

心配してかけつけてくれたミイラのラムさんにたすけられ、いっしょに家に帰ったちくちく先生。

かべにはった表に、おおかみの顔をかきくわえました。

「これは、一年前から、満月の夜ごとに変身したすがたを、表にかきこんでいるんだよ。」

「ふうむ、なるほど。ぶた、ぶた、おおかみ、ぶた、おおかみ、か。」

ラムさんは、じっと表をながめて言いました。

「いったい、どっちになった方が、いいのかな。」

「そりゃ、おおかみにきまってるじゃないか。わたしゃ、先祖代だいつづいた血統書つきのおおかみ男なんだよ。ぶたになったりしたら、ご先祖さまにもうしわけない。なんてったって、おおかみになったときは、力はわいてくるし、血はさわぐし、ゆかいだもん。」

はたのめいわくも考えず、ちくちく先生はそう言うのでした。

「うん。たしかにぶた男になったときのきみは、気は弱くなるし、落ちこんじゃうし、見るもあわれだもんね。」

「いったい、どうして、ぶた男になったりするんだろう。

どうして？　どうして？　いったい、どうして？」

もしかしたら……。

ズルッ

もしかしたら？

わ、わたしゃ、トンカツもトンコツラーメンも、ぶたまんじゅうも、だんじて食べたことはない！

ぶた男になった前の晩は、トンカツを食べたんじゃない？

じゃあ、ぶたのもようのパジャマを着たあと、ぶた男になるとか？

パジャマは、
うさちゃんのもようの
しかないんだよ。
うちの貯金箱は、
ポストの
形なの。
うーん。
じゃ、こぶたの
貯金箱にお金を入れると、
ぶた男になるとか……？
うーん、
じゃあ、
もう
わからん！
どうして？
どうして？
いったい
どうして？

けっきょくなんにもわからないまま、また次の満月が近づいてきました。

「今度は、ぶたか、おおかみか。ぶたになったら、どうしよう。」

ちくちく先生は、そわそわして、満月の二、三日前から、ぜんぜんねむれなくなりました。

「こうなったら、魔女のオバタンにうらなってもらおう。」

こまったときは、魔女のオバタンです。

ちくちく先生は、とうとう満月の前の日、例のかべの表を持って、魔女のオバタンの家にやってきました。

オバタンの家のかき根は、いつのまにか、ずらりとならんだおばけかぼちゃのあきかんで、できていました。

「これ、みいんな、オバタンが食べたのか。さぞ、太ってごきげん悪いだろうな。」

一度はひきかえそうとしたちくちく先生、

「そうだ。おばけかぼちゃは、いくら食べても太らないんだった。」

そう思いだして、中へ入っていきました。

魔女のオバタンは、なぜか、うら庭で大なべの中に入っていました。
「ねえ、魔女のオバタンは、なにやってるの?」
ちくちく先生は、そばにいた四ひきの使い魔たちに、こっそりたずねました。

「しいいっ！　このごろオバタンは、ほうきにのって空を飛ぶのをあきらめてね、」

と、ねこのアカトラ。


「もっと、がんじょうなものにのって、空を飛ぶれんしゅうをしてるの。」

と、ひきがえるのイボイボ。

「自転車(じてんしゃ)にのってもだめだったし、うばぐるまにのってもだめだったから、」
と、とかげのペロリ。

「きょうは、おなべでれんしゅうしているの。」
と、こうもりのバッサリ。

四ひきの使い魔と、ちくちく先生が、息をこらして見まもる中を、オバタンのじゅもんの声がひびきます。

ブーブー　ブータラ
ガミガミ　ドカン！

さあ、大なべは空に飛びあがるでしょうか。

オバタンをのせた大なべは
カタカタカタとゆれだして、
「ウーン、ウーン。」
とうなりはじめました。

やがて、ほんの数センチ、うきあがったかなと思ったところで、重みにたえきれなくなったように、デン！　と地面に落っこちました。

四ひきの使い魔たちは、いっせいに目をおおいました。

「だめだ、こりゃ……。」

ちくちく先生も、まわれ右して帰ろうとしました。

「ううむ、たしかに五センチはうきあがったぞ。もうすこしだ。また、あしたやってみよう。」

オバタンだけは、めげずに元気よく、大なべから出てきました。

「おんや、おおかみ男のちくちく先生。なにかご用？」

オバタンが声をかけてくれたので、ちくちく先生は、おおかみとぶたの表を見せました。

「いったい、どうして、ゆいしょ正しいおおかみ男が、ぶた男になってしまったりするのか、オバタンのうらないで、あててほしいんです。」

「ようし、まかせなさい！　空を飛ぶのはへたでもね、あたしのうらないは、よくあたるんだから。」

オバタンは、ドンとむねをたたきました。

「そう、そう、そう、そう、そう。」

四ひきの使い魔たちが、いっせいにうなずきます。

「ようし、おまえたち。水をくんできて、この大なべの中に入れておくれ。」

オバタンに言われて四ひきは、

「はい！」

「ほい！」

「へい！」

「ふぇい！」

と台所へすっとんでいきました。

そのあいだに、オバタンは、ぞくぞく村の地図と、ぶたおおかみの表とを、かさねて、大なべの前にしきました。

やがて、四ひきの使い魔が、それぞれ、水の入ったバケツにやかん、じょうろにコップを持って、もどってくると、大なべに、

ザブン！

ジョボン！

ジョー！

チョロチョロ！

と入れました。

「さあ、水をはったこの大なべに、今夜のお月さまがうつっているだろ？　あたしがじゅもんをとなえおわったら、ちくちく先生は、ドボン！　と、この大なべの中に飛びこむんだよ。いいね。では。」

ブックサ　ブックサ
グチグチ　ネチネチ
イジイジ　グズグズ
ガーガー　ギャーギャー
ブーブー　ブータラ
ガミガミ　ドカン！

「そうれ！」

オバタンに背中をどやされて、ちくちく先生は、頭からドボン！と大なべにころがりおちました。

なべの中の月は、こなごなにくだけちり、高くあがった水しぶきは、ぞくぞく村の地図をぬらしました。

ろうそくを手にしたオバタンは、その地図を、ジジジジと、やけこげがつくほど見つめています。やがて、おもむろに言いました。

「ふーむ。このぞくぞく村の中に、月と話をするものがいる。ぶたになるのは、そのもののしわざじゃ。」

「ええっ！　だれ？　だれ？　だれ？」

びしょぬれのちくちく先生が、大なべの中から顔を出してたずねます。

「あっちの方だ。ころんところんで七回転、七歩歩いて七番めだ。ふう、つかれた。」

オバタンは、それだけ言うと、コテンと横になって、グーグーねてしまいました。

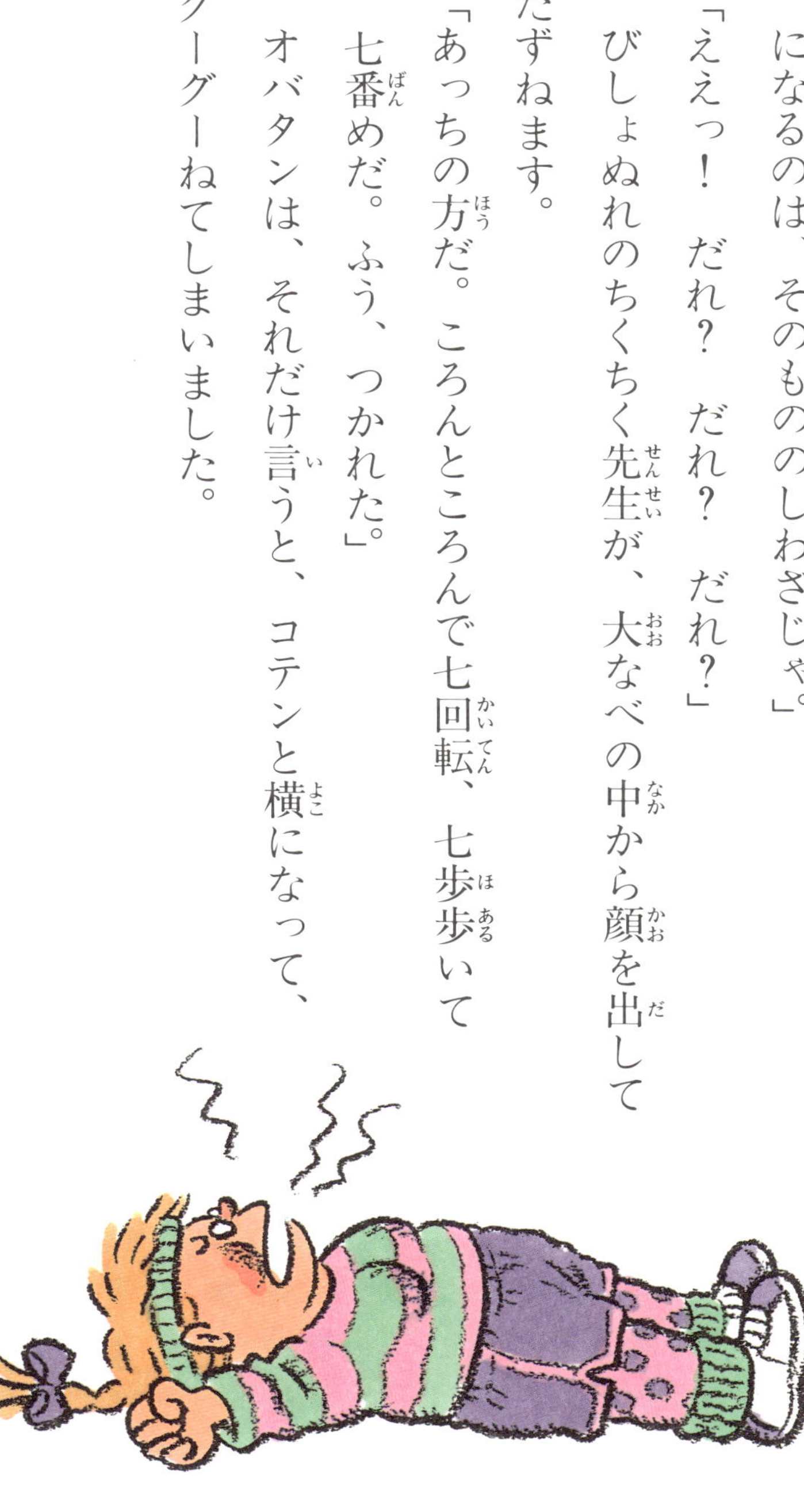

「それじゃ、ともかく、あっちの方へ行ってみよう。オバタン、ありがとう。お休み。」

ちくちく先生は、オバタンの指さした方へ歩きだしました。

ぐずぐず谷をエッチラ、オッチラのぼっていくうち、お月さまも手をふって、消えていき、かわりに、お日さまが顔を出しました。

ぞくぞく村の住人は、みんなベッドに入ってねむるころです。

「ころんところんで七回転、七歩歩いて七番めって、なんのことやら、さっぱりわからん。ともかく、オバタンに言われたとおり、行ってみるっきゃない。」

びしょぬれになったちくちく先生の服も、すっかりかわいてしまいました。

ぐずぐず谷(だに)をのぼりきると、もじゃもじゃ原(はら)っぱが見(み)えてきました。

「ふう、くたびれた。ちょっとだけ休(やす)んでいこう。」

なにしろ、ここのところしばらく、昼(ひる)も夜(よる)もねむれなかったちくちく先生(せんせい)です。

ちょっとだけ休(やす)むつもりが、ガーガーねこんでしまいました。

目がさめたときは、お日さまは、夕焼け色の雲をひきつれて、どっきり広場のはるかかなたへ、かけ足で遠ざかっていくところ。

「はっ、いけない、いけない！　ぐずぐずしてると、また満月だ。」

ちくちく先生は、大いそぎで、もじゃもじゃ原っぱをつっきろうとしました。

ごぞんじでしょうが、このもじゃもじゃ原っぱは、ちびっこおばけたちの遊び場で、いろいろ、いたずらがしかけてあります。

とたんに、むすんだ草に足をひっかけたちくちく先生、ころんところがったら、とまりません。

ごろん、ごろん、ごろん、ごろん、ごろん、ごろんごろんと、原っぱのはしっこまでころがっていきました。

ようやくおきあがったちくちく先生、

「ああっ、今たしか、七回ころがったよ。」

「そうか！　じゃあ、ここから七歩歩いて七番めだ！」

ちくちく先生が、七歩歩いてつきあたったのは、べろべろの木！

「小鬼のゴブリンの家だ。」

ちょうどそのとき、ゴブリンの家のげんかんの戸が開きました。

「おお、月がのぼってくるぞ。」

「さあさ、子どもたちに、月光浴させましょ。」

ゴブリン一家が、出てきました。

「しまった！　もう満月の晩になったんだ。」

ちくちく先生は、あわててべろべろの木のかげにかくれました。

ゴブリン

ゴブリンのおやじさんとおかみさんにつづいて、赤(あか)ちゃんたちが
はいはいで、出(で)てくるわ、出(で)てくるわ、七人(にん)も。

ヌラリンちゃん、遠くへ
いっちゃだめ！
パクリンちゃん、あたしの
くつ、食べないで！
おうい、
はなすな。クラリンから目を
わからんぞ。どこへかくれるか、

ああ、ベロリンちゃん。
今ならはだかんぼに
なってもいいよ。

あいたたた。チクリン
ちゃん。頭をわしの足に
すりつけないでくれ。

コロリンちゃん、べろべろの
木に体あたりするのは、
やめてくれ。
みんな実がおちちゃう。

いやはや、たい
へんなさわぎです。

「おや、リンリンは、なにしてるんだ？」

「まあた、お月さまを見て、なにか、しゃべっているわ。」

「ほんとにふしぎな子だね。」

べろべろの木のかげで聞いていたちくちく先生は、はっとしました。

「それじゃあ、七番めというのは……七つ子の赤ちゃんの末っ子のことだったんだ。」

「ブーブ、ブーブ、ブーブ、ブ、ブ、ブー。」

リンリンは、お月さまを見あげて、しきりに話しかけています。

お月さまも、リンリンを見て、こっくりうなずきました。

すると、どうでしょう。

お月さまの顔が、しだいに
「ブーブ、ブーブ」のぶたの顔に
なっていくではありませんか。

お月さまは、ぶた顔で、

「べろべろ、ばあっ！」

と、リンリンをあやします。

リンリンは、

「きゃっきゃっ。」

と大よろこび。

「へえっ、こりゃおどろいた。」

思わずべろべろの木のかげから飛びだしたちくちく先生は、あれよあれよというまにぶた男に変身してしまいました。

「わあっ、ぶた男だ！」

「わたしがぶた男に変身するのは、この子のせいだったのか。」

「ブーブ、ブーブ！」

ぶた男を見つけたリンリンは、大はしゃぎで近よってきます。

わけを知ったゴブリンのおやじさんもおかみさんも、びっくり！

「この子は、ふしぎな力を持っているとは思っていたが、そのためにちくちく先生がぶた男になっていたとはなあ。」

「満月の夜に月光浴をするのは、やめなくちゃね。」

「い、いや、リンリンがこんなによろこんでるんだもの。ぶた男になるのも、まんざら悪くないような気がしてきた。」

ぶた男は、リンリンをだっこしながら言いました。


それからですよ。ちくちく先生がぶた男に変身しても、落ちこまないで、なかよくリンリンと遊ぶようになったのは……。

☼食後はすぐ歯をみがこう！　つめもとごう！

ぞくぞく村だより⑤号

ちくちく先生監修
おおかみ男特集

◆発行所◆
ぞくぞく村広報室

集まれ、おおかみ男たち！

さてさて、ぞくぞく村のおおかみ男、ちくちく先生のほかにも、この世には、こんなにいろいろなおおかみ男がいるのです。みんな変身の方法がちがいます。ご紹介しましょう。

おおかみの毛皮を着たときだけほんものになるおおかみ男

魔法のベルトをして変身したおおかみ男

魔法の指輪にさわって変身したおおかみ男

新月の夜にはだかになり、砂の上をごろごろころげまわって変身したおおかみ男

満月の夜、泉に飛びこんで変身したおおかみ男

特別な草で体をこすって変身したおおかみ男

毎月5日はどっきり広場の清掃デー。集めたゴミでたき火をしよう！

質問コーナー

Q．ぞくぞく村から帰るときは、どうするのですか？

A．それはね、まっぴるま、おけら山のてっぺんにのぼるんだ。そうして、太陽がま上に来たときにじゅもんをとなえて、雲をよぶ。その雲に乗って空を飛び、きみの家の上に来たときに飛びおりるのさ。

ただし、おけら山には、たいがい雪がふっているぞ。それに、ぞくぞく村の食べものを一口でも食べたら、帰れないんだ。だからとってもむずかしいのさ。

☆ご紹介します

花畑のそばにときどきあらわれるがいこつ男。名前はガチャさんです。ロマンチストの詩人です。よろしく。

♡おねがい

ちくちく歯科医院からにげるとき、ぬぎすてた服を見つけたかたは、ブティック「びっくり箱」までとどけてください。

（とうめい人間のサムガリー）

ハックション

（はだかなので見えません）

ご注意

ぐずぐず谷周辺を歩くときは気をつけて！

魔女のオバタンが、なべに乗って空を飛ぶ練習をしているので、地面はあなぼこだらけです。ころばないように。

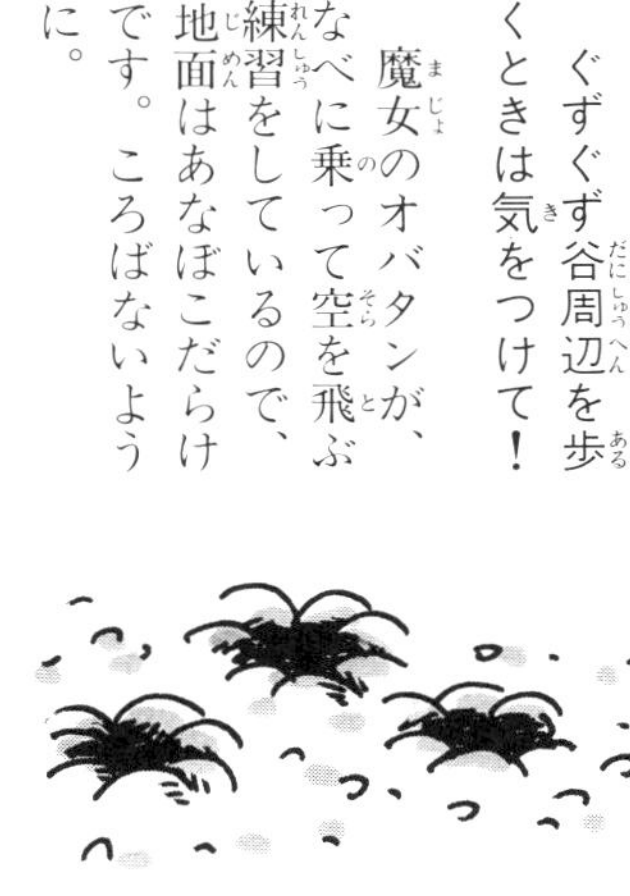

★おたよりください◆あてさき◆東京都千代田区西神田三―二―一　あかね書房「ぞくぞく村」係

作者　**末吉暁子**（すえよし　あきこ）
神奈川県生まれ。児童図書の編集者を経て、創作活動に入る。『星に帰った少女』（偕成社）で日本児童文学者協会新人賞、日本児童文芸家協会新人賞受賞。『ママの黄色い子象』（講談社）で野間児童文芸賞、『雨ふり花さいた』（偕成社）で小学館児童出版文化賞、『赤い髪のミウ』（講談社）で産経児童出版文化賞フジテレビ賞受賞。長編ファンタジーに『波のそこにも』（偕成社）が、シリーズ作品に「きょうりゅうほねほねくん」「くいしんぼうチップ」（共にあかね書房）など多数がある。垂石さんとの絵本に『とうさんねこのたんじょうび』（ＢＬ出版）がある。2016年没。

画家　**垂石眞子**（たるいし　まこ）
神奈川県生まれ。多摩美術大学卒業。絵本に『ライオンとぼく』（偕成社）、『おかあさんのおべんとう』（童心社）、『もりのふゆじたく』『きのみのケーキ』『あたたかいおくりもの』『あいうえおおきなだいふくだ』『あついあつい』（以上福音館書店）、『メガネをかけたら』（小学館）、『わすれたって、いいんだよ』（光村教育図書）、『けんぽうのえほん　あなたこそたからもの』（大月書店）などがある。挿絵の作品に『かわいいこねこをもらってください』（ポプラ社）など多数。
日本児童出版美術家連盟会員。
垂石眞子ホームページ
http://www.taruishi-mako.com/

ぞくぞく村のおばけシリーズ⑤　**ぞくぞく村のおおかみ男**

発　行＊1993年２月第１刷　2024年４月第41刷　NDC913　79p　22cm
作　者＊**末吉暁子**　画　家＊**垂石眞子**
発行者＊岡本光晴
発行所＊**あかね書房**　〒101-0065　東京都千代田区西神田３－２－１／TEL 03－3263－0641㈹
印刷所＊錦明印刷㈱　写植所＊㈲千代田写植　製本所＊㈱難波製本

ISBN978-4-251-03675-9　定価はカバーに表示してあります。

ぞく村
雨ぼうずの家
おしゃれおばけの家
びよびよ丘
オバタンの家
ブラブラの木
もじゃもじゃ原っぱ
ミイラのラムさん
ゴブリンの家
とんとん橋
おばけかぼちゃ畑
吸血鬼の家
ぱかぱか森